DE GROTE LUIZENPLAAG

en andere leuke verhalen

Francesca Simon

'met tekeningen van

Tony Ross

Deltas

Voor mijn goede vriendin
Dearbhla Molloy

Original title: *Horrid Henry's Nits* (Francesca Simon)
First published in 1997 by Orion Children's Books,
a division of The Orion Publishing Groupe Ltd, Orion House, 5 Upper St Martin's Lane,
London WC2H 9EA.

Deze uitgave door: Deltas, België-Nederland.
Vertaling: Katrien Bruyland.
D-MMII-0001-353
Gedrukt in de EU
NUR 282
NUGI 220

INHOUD

1

DE GROTE LUIZENPLAAG

Krab. Krab. Krab.

Papa krabde in zijn haar.

‘Hou op met krabben, alsjeblieft’, zei mama. ‘We zijn aan het eten.’

Mama krabde in haar haar.

‘Hou op met krabben, alsjeblieft’, zei papa. ‘We zijn aan het eten.’

Hendrik krabde in zijn haar.

‘Hou op met krabben!’ zeiden mama en papa.

‘O, jee’, zei mama. Ze legde haar vork neer en fronste naar Hendrik.

‘Hendrik, heb je *alweer* luizen?’

‘Natuurlijk niet’, zei Hendrik.

‘Kom mee naar de gootsteen, Hendrik’, zei mama.

‘Waarom?’ vroeg Hendrik.

'Ik moet je hoofd nakijken.'

Hendrik slofte zo traag mogelijk naar de gootsteen. Het is niet eerlijk, dacht hij. Was het zijn schuld dat alle luizen dol op hem waren? Het hoofd van Hendrik was een perfecte vergaderplek voor alle luizen uit de omtrek. Ze hielden er vast hun luizenfeestjes en hielden er elke week een luizenmarkt.

Mama trok de luizenkam door Hendriks haar. Ze trok ook een gezicht en kreunde.

'Het krioelt er van de luizen, Hendrik', zei mama.

'Ja? Laat eens zien', zei Hendrik. Hij vond het altijd leuk om te tellen hoeveel luizen hij had.

'Een, twee, drie... vijfenveertig, zesenveertig, zevenenveertig...', telde hij, terwijl hij ze op een papieren servet liet vallen.

'Het is niet netjes om luizen te tellen', zei zijn jongere broertje, perfecte Peter, terwijl hij zijn mond schoonveegde met zijn kraaknette servet. 'Is het niet, mama?'

'Nee, dat is niet netjes', zei mama.

Papa haalde de luizenkam door zijn haar en trok een gezicht.

'O, jee', zei papa.

Mama haalde de kam door haar haar.

'O, jee', zei mama.

Mama kamde het haar van perfecte Peter. Toen nog eens. En nog eens. En opnieuw.

'Geen luizen, Peter', zei mama en glimlachte. 'Zo-als gewoonlijk. Flink zo, lieveling.'

Perfecte Peter glimlachte bescheiden.

'Ik was en kam elke avond mijn haar', zei Peter.

Hendrik keek chagrijnig. Oké, zijn haar was een beetje smerig, maar dat betekende niet...

'Luizen zijn dol op nette haren', zei Hendrik.

'Niet waar', zei Peter. '*Ik* heb nog nooit luizen ge-had.'

Dat zullen we nog wel eens zien, dacht Hendrik. Toen niemand keek, plukte hij enkele luizen van het papieren servet. Toen liep hij naar Peter en streek per ongeluk over zijn haar.

En HUP!

Krab. Krab.

'Mama!' jammerde Peter. 'Hendrik trekt aan mijn haar!'

'Hou op, Hendrik', zei papa.

'Ik trok niet aan zijn haar', zei Hendrik verontwaardigd. 'Ik wilde gewoon even kijken hoe netjes het was. En het *is* erg netjes en verzorgd', voegde Hendrik er glimlachend aan toe. 'Ik wou dat mijn haar even netjes was als dat van Peter.'

Peter straalde. Het gebeurde niet vaak dat Hendrik iets aardigs over hem zei.

'Goed,' zei mama vastberaden, 'iedereen naar boven. Tijd voor een shampoobeurt.'

'NEE!' gilde stoute Hendrik. 'GEEN SHAMPOO!'

Hij had een hekel aan die smerige, slijmerige, stinkende shampoo. Dan nog liever luizen, dacht hij. Maar vandaag had juffrouw Draconia Dragonder hem een luizenbrief meegegeven.

WAARSCHUWING!
De school krioelt van de luizen, luizen
en overal luizen. Zorg dat ze VERDWIJNEN!
Was jullie haar met ultramegasuperluizen-
shampoo, ALSJEBLIEFT – OF ANDERS!

Hendrik had de brief natuurlijk meteen verfrommeld en weggekeild. Die vieze, vreselijke shampoo wilde hij nooit meer op zijn hoofd. Brute pech dat mama hem had zien krabben.

'Het is de enige manier om van die luizen af te raken', zei papa.

'Maar het helpt nooit!' schreeuwde Hendrik. En hij vluchtte naar de deur.

Mama en papa grepen hem vast. Hij schopte en sloeg wild tierend om zich heen terwijl ze hem meesleepten naar de badkamer.

'Luizen zijn onschuldige diertjes', huilde Hendrik. 'Waarom wil je ze doodmaken?'

'Omdat...', zei mama.

'Omdat... luizen bloedzuigers zijn', zei papa.

Bloedzuigers. Hendrik had er nooit aan gedacht dat luizen bloed zogen. Tijdens de milliseconde dat hij stilstond om over deze interessante informatie na te denken, goot mama het flesje ultramegasuperluizenshampoo leeg over zijn haar.

'NEE!' brulde Hendrik.

Als een gek schudde hij zijn hoofd heen en weer. Er hing shampoo aan de deur. Er lag shampoo op de vloer. Er hing shampoo over mama en papa. Overal was shampoo, behalve op het hoofd van Hendrik.

'Hendrik! Hou op met stout zijn!' bulderde papa, terwijl hij de shampoo van zijn hemd wreef.

'Wat een gedoe voor niets', zei Peter.

Hendrik deed een uitval naar hem. Mama greep Hendrik bij zijn kraag en trok hem achteruit.

'Peter', zei mama. 'Dat was niet aardig tegenover Hendrik. Niet iedereen is zo flink als jij.'

'Je hebt gelijk, mama', zei perfecte Peter. 'Het was dom en onbeleefd van me. Het zal niet meer gebeuren. Het spijt me, Hendrik.'

Mama glimlachte naar hem. 'Dat was een perfecte verontschuldiging, Peter. En jij, Hendrik...' Ze

zuchtte. 'We halen morgen wel nieuwe shampoo.'

Oef! dacht Hendrik, en krabde nog eens extra aan zijn hoofd. Alweer een dag uitstel.

De volgende ochtend stormde een groep ouders de klas binnen, schreeuwend en zwaaiend met een luizenbrief.

'Mijn Margriet heeft geen luizen!' gilde de mama van Margriet Mopperpot. 'Ze heeft nog nooit luizen gehad en zal ze nooit krijgen. Hoe durft u haar zo'n brief mee te geven!'

'Mijn Winnie heeft geen luizen', riep Winnies moeder. 'Het idee!'

'Mijn Benny heeft geen luizen!' brulde Benny's vader. 'Er zit vast een stout kind in de klas dat zijn haar niet behoorlijk wast!'

Juffrouw Dragonder kruiste kordaat haar armen.

'Wees gerust dat ik de schuldige zal vinden', zei ze. 'Hierbij verklaar ik de oorlog aan de luizen.'

Krab. Krab. Krab.

Juffrouw Draconia Dragonder draaide zich om en keek met dreigende ogen door de klas.

'Wie krabde daar?' vroeg ze.

Stilte.

Hendrik boog zich over zijn blad en probeerde vlijtig te kijken.

'Het was Hendrik', zei Margriet Mopperpot.

'Leugenaarster!' riep stoute Hendrik. 'Het was Harry Huilebalk!'

Harry Huilebalk zette het op een huilen.

'Niet waar, ik was het niet', snikte hij.

Juffrouw Dragonder boorde haar priemende ogen door de klas. 'Ik moet en zal weten wie er in deze klas luizen heeft', blafte ze.

'Ik niet!' riep Margriet Mopperpot.

'Ik niet!' riep woeste Winnie.

'Ik niet!' riep stoute Hendrik.

'Stilte!' riep juffrouw Dragonder. 'Linda, de luizenverpleegster, komt vanochtend langs. Wie heeft luizen? Wie heeft zijn haar niet met luizenshampoo gewassen? We zullen het vlug te weten komen.'

O nee, dacht Hendrik. Nu ben ik erbij. Er was geen ontkomen aan juffrouw Linda Lysol, de luizenverpleegster, en haar gruwelijke luizenkam. Nu zou iedereen weten dat *hij* luizen had. Woeste Winnie zou hem voor eeuwig blijven pesten. Hij zou elke dag een shampoobeurt krijgen. En mama en papa zouden het ontdekken van al die luizenbrieven die hij had weggegooid...

Misschien kon hij doen alsof hij buikpijn kreeg zodat hij naar huis mocht. Het probleem was dat juffrouw Lysol een uitstekend geheugen had en nooit vergat wiens hoofd ze nog niet had onderzocht, en dan zou ze zijn haar kammen voor de hele klas.

Misschien kon hij gillend de klas uitrennen en doen alsof hij de gekkekoeienziekte had. Maar Hendrik dacht niet dat juffrouw Dragonder hem zou geloven.

Er was geen uitweg meer. Deze keer zat hij echt in de problemen. Tenzij...

Opeens kreeg Hendrik een schitterend, fantastisch idee. Het was zo vernuftig, en zo gruwelijk, dat zelfs stoute Hendrik even aarzelde – even maar. In een vreselijk noodgeval mocht je vreselijke dingen doen.

Hendrik leunde voorover naar nette Nikki en streek zachtjes met zijn haar over het hare.

En HUP! Krab. Krab.

'Uit mijn buurt, Hendrik', siste Nikki.

'Ik wilde je prachtige tekening bewonderen', zei Hendrik.

Hij stond op en liep naar de grote potloodslijper achteraan in de klas. Onderweg streek hij even langs het haar van gulzige Glen.

En HUP! Krab, krab.

Op zijn terugweg struikelde Hendrik en viel hij tegen bange Barend.

En HUP! Krab. Krab.

'O nee!' jammerde Barend.

'Sorry, Barend', zei Hendrik. 'Wat ben ik toch onhandig met mijn voeten. Oeps!' voegde hij eraan toe, haakte met een voet in het tapijt en bonsde met zijn hoofd tegen dat van Harry Huilebalk.

En HUP! Krab. Krab.

'Wéééééééééh!' huilde Harry Huilebalk.

'Ga onmiddellijk zitten, Hendrik', zei juffrouw Dragonder. 'Harry! Hou op met krabben. Dirk! Hoe spel je kat?'

'Geen idee', zei domme Dirk.

Stoute Hendrik leunde voorover op zijn tafeltje en bracht zijn hoofd tegen dat van Bert.

'K-A-T', fluisterde hij behulpzaam.

En HUP! Krab. Krab.

Toen stak stoute Hendrik een hand in de lucht.

'Ja?' zei juffrouw Dragonder.

'Ik snap de oefeningen niet', zei Hendrik zachtjes. 'Kunt u me helpen, alstublieft?'

Juffrouw Dragonder fronste. Gewoonlijk bleef ze het liefst zo ver mogelijk uit de buurt van stoute Hendrik.

Met tegenzin liep ze naar hem toe en boog zich voorover. Hendrik bracht zijn hoofd wat dichter bij het hare.

En HUP! Krab. Krab.

Toen klopte iemand op de deur. En toen kwam juffrouw Linda Lysol de klas binnen, met een schaal vol kammen en andere martelwerktuigen.

'Iedereen in de rij', zei juffrouw

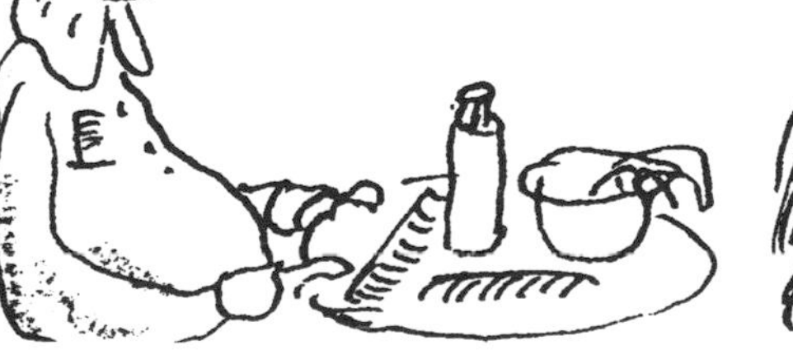

Dragonder, en krabde in haar haar. 'De luizenverpleegster is er.'

Verdorie, dacht Hendrik. En hij was nog maar net begonnen. Langzaam stond hij op.

Iedereen duwde en porde om als eerste in de rij te staan. Toen herinnerden enkele kinderen zich waarom ze in de rij moesten staan, en vluchtten naar achteren. Stoute Hendrik zag zijn kans en greep die.

Hij worstelde zich heen en weer tussen de wriemelende kinderen, en kwam met zijn haar bij zoveel mogelijk kinderen.

En HUP! Krab! Krab!

En Hup! Krab! Krab!

'Hendrik!' brulde juffrouw Dragonder. 'Je blijft in de klas tijdens de speeltijd. Ga achteraan in de rij staan. En iedereen houdt nu onmiddellijk op met die nonsens!'

Margriet Mopperpot had het hardst en het langst gevochten om vooraan te staan. Trots toonde ze haar hoofd aan juffrouw Linda Lysol.

'Ik weet zeker dat ik geen luizen heb', zei ze.

Linda Lysol haalde de kam door haar haar.

'Luizen!' riep ze uit, en duwde Margriet een luizenbrief in de hand.

Voor het eerst wist Margriet niet wat ze moest zeggen.

'Maar... maar...', stamelde ze.

Hèhè, dacht Hendrik. Dan ben ik niet de enige.

'De volgende', zei Linda Lysol.

Ze kamde het haar van woeste Winnie.

'Luizen!' riep ze uit.

'Luizenkop!' siste stoute Hendrik opgewekt.

'Luizen!' zei Linda Lysol, en haalde de kam door de lange haren van luie Lies.

'Luizen!' zei Linda Lysol, en haalde de kam door het krulhaar van gulzige Glen.

'Luizen, luizen, luizen, luizen!' herhaalde ze telkens, terwijl ze Harry Huilebalk, Susan Zuurpruim, maffe Benny en lome Eddie onder handen nam.

Toen keek Linda Lysol naar juffrouw Draconia.

'Leraren ook', beval ze.

Juffrouw Draconia's mond viel open.

'Ik geef al vijfentwintig jaar les en nog nooit heb ik luizen gehad', zei ze. 'Verspil je tijd niet door *mijn* hoofd te onderzoeken.'

Linda Lysol negeerde het protest en haalde haar kam door het haar van Draconia Dragonder.

'Hm', zei ze, en fluisterde iets in het oor van juffrouw Dragonder.

'NEE!' jammerde juffrouw Dragonder.

'NEEEEEEEEEEEE!' jammerde ze samen met de rij huilende, jankende kinderen met een luizenbrief in de hand.

Ten slotte was Hendrik aan de beurt.

Linda Lysol haalde de kam door het slordige haar van Hendrik en trok hem zorgvuldig over zijn hele schedel.

Daarna kamde ze hem nog eens. En nog eens. En nog eens.

'Geen luizen', zei Linda Lysol. 'Flink zo, jongeman. Ga zo verder.'

'Wees gerust!' zei Hendrik.

Stoute Hendrik huppelde naar huis en zwaaide vrolijk met zijn certificaat.

'Kijk eens, Peter', kraaide Hendrik. 'Ik ben luizenvrij!'

Perfecte Peter barstte in huilen uit.

'Ik niet', snikte hij.

'Dikke pech', zei stoute Hendrik.

2

STOUTE HENDRIK EN DE KOPPENKRAKER

Stoute Hendrik greep zijn skeletspaarpot en probeerde het valluikje open te wrikken. Morgen mocht hij met mama mee gaan winkelen naar Paradijsland. Daar lag het speelgoed van zijn dromen: een Walgdrankjeskit.

Hèhè – hij dacht aan alle trucs die hij zou kunnen uithalen met iedereen, door hun drankjes te vervangen door walgelijke stinkdrankjes.

En het toppunt was dat Margriet Mopperpot groen zou zien van jaloezie. Want ook zij wilde een Walgdrankjeskit, maar ze had geen geld. Hendrik zou de kit het eerst hebben, en Margriet mocht er niet mee spelen, nooit.

Behalve dat hij af en toe wat snoep en enkele stripverhalen had gekocht, had Hendrik al wekenlang zijn zakgeld opgespaard.

Perfecte Peter stak zijn hoofd om de deur.

'Ik heb 7,23 euro', zei Peter trots, en rammelde met zijn spaarvarkentje. 'Meer dan genoeg om mijn Natuurkit te kopen. Hoeveel heb jij?'

'Miljoenen', zei Hendrik.

Perfecte Peter hapte naar adem.

'Niet waar', zei Peter. 'Of wel?'

Hendrik schudde met zijn spaarpot. Er klonk een dun gerinkel.

'Dat klinkt niet als een miljoen', zei Peter.

'Dat komt omdat briefjes van vijf niet rinkelen, domkop', zei Hendrik.

'Mama! Hendrik zegt domkop tegen me', schreeuwde Peter.

'Hou op met stout zijn, Hendrik!' brulde mama.

Stoute Hendrik gaf nog een laatste ruk aan het valluikje, en de hele inhoud van zijn skeletspaarpot viel op de grond.

Een klein, bruin muntje van twee cent rolde over de vloer.

Hendriks mond viel open. Hij greep zijn spaarpot en voelde er met zijn hand in. Hij was leeg.

'Ik ben bestolen!' huilde stoute Hendrik. 'Waar is mijn geld? Wie heeft mijn geld gestolen?'

Mama rende de kamer binnen.

'Wat betekent al die herrie?'

'Peter heeft mijn geld gepikt!' jammerde Hendrik. Woedend keek hij zijn broertje aan. 'Wacht maar tot ik je in mijn handen krijg, jij kleine dief, ik...'

'Niemand heeft je geld gestolen, Hendrik,' zei mama, 'je hebt het allemaal zelf uitgegeven, aan snoep en stripverhalen.'

'Niet waar!' huilde Hendrik.

Mama wees naar de enorme stapel stripverhalen en de snoeppapiertjes die overal verspreid lagen op de vloer van zijn slaapkamer.

'En dit dan?' vroeg mama.

Stoute Hendrik hield op met gillen. Het was waar. Hij *had* al zijn zakgeld uitgegeven aan snoep en stripverhalen. Hij had het alleen niet gemerkt.

'Het is niet eerlijk!' krijste hij.

'*Ik* heb al mijn zakgeld gespaard, mama', zei perfecte Peter. 'Een centje gespaard is een centje gewonnen, heb je me geleerd.'

Mama schonk hem een glimlach. 'Goed gedaan, Peter. Laat dit een les voor je zijn, Hendrik.'

'Ik sta te popelen om mijn Natuurkit te kopen', zei perfecte Peter. 'Je had je zakgeld moeten sparen, zoals ik, in plaats van het te verspillen, Hendrik.'

Hendrik gromde en sprong bovenop Peter. Hij deed alsof hij een indiaanse krijger was die een indringer wilde scalperen.

'AAAAUUW!' gilde Peter.

'Hendrik! Hou op!' riep mama. 'Zeg Peter dat het je spijt.'

'Het spijt me niet!' schreeuwde Hendrik. 'Ik wil mijn geld!'

'Als je niet stopt met die onzin, jongeman, gaan we niet naar Paradijsland', zei mama.

Hendrik fronste boos.

'Kan me niks schelen', mopperde hij. Wat voor zin had het om naar Paradijsland te gaan als hij toch geen speelgoed kon kopen?

Stoute Hendrik lag op de vloer van zijn slaapkamer. Die Walgdrankjeskit kostte 4,99 euro. Voor morgen moest hij dus aan geld zien te komen. De vraag was alleen: hoe?

Hij kon het geld van Peter stelen. Erg verleidelijk, want hij wist dat Peter zijn spaarvarkentje in het geheime vakje van zijn cellokist verstopte. Zou het niet leuk zijn als Peter ontdekte dat al zijn geld verdwenen was? Hendrik grinnikte.

Misschien toch niet zo'n goed idee. Mama en papa zouden Hendrik vast meteen verdenken, vooral omdat Hendrik dan opeens geld zou hebben, en Peter niet.

Misschien kon hij enkele stripverhalen verkopen aan Margriet Mopperpot.

'Nee!' huiverde Hendrik, en klemde zijn stripverhalen tegen zijn borst. Niet zijn dierbare stripverhalen. Er *moest* gewoon een andere manier zijn om aan geld te komen.

Opeens kreeg Hendrik een schitterend, ongelooflijk idee. Het was zo geniaal dat hij een wilde vreugdedans maakte. Die Walgdrankjeskit was zo goed als van hem.

En, wat nog beter was, Peter zou hem zoveel geld geven als hij nodig had. Hendrik gniffelde. Dit was nog gemakkelijker dan snoep stelen van een baby... en nog veel leuker bovendien.

Stoute Hendrik kuierde vrolijk over de overloop naar de kamer van Peter. Peter hield net een vergadering van de Goede-Jongens-Club (de GJC, met als leuze: Kan ik iemand helpen?) met zijn vrienden nette Neil, keurige Karel en smetteloze Sam. Leuk. Nog meer geld voor mij, glimlachte Hendrik en legde zijn oor tegen het sleutelgat zodat hij kon horen hoe ze opschepten over hun goede daden.

'Ik heb een oud vrouwtje geholpen die de straat wou oversteken *en* ik heb al mijn groenten opgegeten', zei perfecte Peter.

'Ik heb een hele week mijn kamer netjes gehouden', zei nette Neil.

'Ik heb het bad schoon geschrobd zonder dat iemand het me vroeg', zei keurige Karel.

'Ik heb geen enkele keer vergeten alsjeblieft en dankjewel te zeggen', zei smetteloze Sam.

Hendrik gooide de barricades omver en stormde Peters kamer binnen.

'Wachtwoord!' gilde perfecte Peter.

'Vitamines', zei stoute Hendrik.

'Hoe weet je dat?' zei nette Neil, en staarde Hendrik met open mond aan.

'Gaat je niks aan', zei Hendrik, die niet voor niets een meesterspion was. 'Kent iemand van jullie de Koppenkrakers?'

De jongens keken elkaar aan.

'Wat zijn dat?' vroeg keurige Karel.

'O, gewoon, de slijmerigste, afschuwelijkste, vreselijkste en wreedaardigste monsters van de hele wereld', zei Hendrik. 'En ik weet waar er een te vinden is.'

'Waar?' vroeg smetteloze Sam.

'Dat verklap ik lekker niet', zei stoute Hendrik.

'O, alsjeblieft!' zei keurige Karel.

Stoute Hendrik schudde zijn hoofd en sprak zachtjes.

'Koppenkrakers komen alleen 's nachts uit hun hol', fluisterde Hendrik. 'Ze glippen langs de schaduw en komen dan tevoorschijn en... BIJTEN JE HOOFD ERAF!' brulde hij het uit.

De GJC-vrienden stonden verstijfd van schrik, behalve Peter.

'Ik ben niet bang,' zei hij, 'en van een Koppenkraker heb ik nog nooit gehoord.'

'Omdat je nog veel te klein bent', zei Hendrik. 'Grote mensen vertellen het je niet omdat ze je niet bang willen maken.'

'Ik wil er een zien', zei nette Neil.

'Ik ook', zeiden keurige Karel en smetteloze Sam.

Eén moment aarzelde Peter.

'Is dit een truc, Hendrik?'

'Natuurlijk niet', zei Hendrik. 'En daarom ga ik hem niet aan jullie laten zien.'

'O, alsjeblieft', zei Peter.

Hendrik zweeg even.

'Oké', zei hij dan. 'Zodra het donker wordt, komen we samen achter in de tuin. Maar het kost twee euro per persoon.'

'Twee euro!' zuchtten ze.

'Willen jullie een Koppenkraker zien, of niet?'

Perfecte Peter wisselde een blik uit met zijn vrienden.

Toen knikten ze allemaal.

'Goed', zei stoute Hendrik. 'Ik zie jullie om zes uur vanavond. En vergeet jullie geld niet mee te brengen.'

Hèhè, gniffelde Hendrik stilletjes in zichzelf.

Acht euro! Hiermee kon hij een Walgdrankjeskit én een Slijmwormenzak kopen.

Uit de tuin ernaast kwam een luid gegil.

'Geef me mijn schop terug!' klonk de boze, bazige stem van Margriet Mopperpot.

'Je bent gemeen, Margriet', snikte de piepstem van Susan Zuurpruim.

'Niet waar. Het is mijn beurt om te spitten.'

TSJAK!

PAF!

'Whéééééééééé!'

Acht euro is leuk, dacht stoute Hendrik, maar twaalf euro is nog leuker.

'Wat gebeurt er?' vroeg stoute Hendrik, en sprong grinnikend over het muurtje.

'Maak dat je wegkomt, Hendrik!' schreeuwde Margriet Mopperpot.

'Ja, Hendrik', echode Susan Zuurpruim, en veegde haar tranen weg. 'We hebben je hier niet nodig.'

'Oké, goed dan', zei Hendrik. 'Dan vertel ik lekker niets over de Koppenkraker die ik heb gevonden.'

'We zijn niet geïnteresseerd', zei Margriet, en keerde hem de rug toe.

'Ja, maak dus dat je wegkomt', zei Susan.

'Oké, maar kom later niet klagen als de Koppenkraker langs het behang je kamer binnenkomt en je aan stukken scheurt en al je ingewanden oppeuzelt', zei stoute Hendrik. Hij draaide zich om en wilde vertrekken.

De meisjes keken elkaar aan.

'Wacht', zei Margriet.

'Ja?' zei Hendrik.

'Mij maak je niet bang', zei Margriet.

'Bewijs het dan', zei Hendrik.

'Hoe?' zei Margriet.

'Kom vanavond om zes uur naar de tuin en ik laat je de Koppenkraker zien die ik ontdekt heb. Maar het kost jullie twee euro, elk.'

'Vergeet het', zei Margriet. 'Kom, Susan.'

'Oké,' zei Hendrik vlug, 'één euro dan, voor elk.'

'Geen sprake van', zei Margriet.

'En jullie geld terug als de Koppenkraker je niet bang heeft gemaakt', zei Hendrik.

Margriet Mopperpot glimlachte.

'Afgesproken', zei ze.

Zodra de kust vrij was, kroop stoute Hendrik de struiken in en verstopte er de tas met de spullen die hij straks zou nodig hebben: een oud, gescheurd T-shirt, een versleten, uitgerafelde broek en een megamaxitube ketchup.

Daarna sloop hij weer het huis in en wachtte tot het donker werd.

'Dank je, dank je, dank je, dank je', zei stoute Hendrik terwijl hij bij alle leden van de GJC twee euro ophaalde. Voorzichtig stak Hendrik het geld in zijn skeletspaarpot. Man, wat was hij rijk!

Margriet Mopperpot en Susan Zuurpruim gaven hem elk één euro.

'Denk eraan dat we ons geld terugkrijgen als we niet bang worden, Hendrik', siste Margriet Mopperpot.

'Hou je mond', zei Hendrik. 'Ik waag mijn leven en jullie denken alleen maar aan geld. Goed, iedereen wacht hier, beweeg je niet en zeg geen woord', fluisterde hij. 'We moeten de Koppenkraker verrassen. Anders...' Hendrik wachtte even en streek met zijn vingers langs zijn keel. '... ben ik de sigaar. Ik

ga nu op zoek naar het monster. Zodra ik het vind, en als de kust veilig is, fluit ik twee keer. Dan komen jullie zo snel mogelijk naar me toe. Maar wees voorzichtig!'

En Hendrik verdween in de donkere tuin.

Lange tijd was er niets dan stilte.

'Dit is belachelijk', zei Margriet Mopperpot.

Opeens klonk een diep, klagend gehuil in de maanloze duisternis.

'Wat was dat?' zei keurige Karel nerveus.

'Hendrik? Ben je oké, Hendrik?' piepte perfecte Peter angstig.

Het lange, droeve gehuil ging over in een gevaarlijk gebrul.

GRAUW! KRAAK!

'HELP! HELP! DE KOPPENKRAKER ZIT ACHTER ME AAN! REN VOOR JE LEVEN!' gilde stoute Hendrik, en rende tussen de struiken door. Zijn T-shirt en jeans waren gescheurd. Hij zat helemaal onder het bloed.

De leden van de GJC stoven uit elkaar en renden gillend weg.

Susan Zuurpruim rende gillend weg.

Margriet Mopperpot rende gillend weg.

Stoute Hendrik gilde en... stopte toen.

Hij wachtte tot hij alleen was. Toen wreef hij de ketchup van zijn gezicht, greep zijn spaarpot in beide handen vast en danste door de tuin, terwijl hij vreugdekreetjes slaakte.

'Geld! Geld! Geld! Ik heb weer geld!' juichte hij, en hupte van het ene been op het andere. Hij danste en sprong en maakte enkele pirouettes. Hij ging zo erg op in zijn vreugdedans dat hij niet zag dat een schaduw zachtjes de tuin in glipte en achter hem aan kwam.

'Geld! Geld! Geld! Joepie, het geld is van mij...' en stokte. Wat was dat geluid? Stoute Hendrik voelde hoe zijn keel werd dichtgeknepen.

'Nee,' dacht hij, 'het is vast niets.'

Opeens sprong met een vreselijke, woeste brul een donkere schaduw uit de struiken.

Stoute Hendrik bleef verstijfd staan van angst. Hij liet zijn geld vallen en rende voor zijn leven. Het Ding raapte zijn spaarpot op en glipte over het muurtje.

Stoute Hendrik bleef rennen tot hij veilig in zijn kamer was met de deur op slot en gebarricadeerd. Zijn hart bonsde in zijn keel.

Er zit echt een Koppenkraker, dacht hij bevend. En nu zit hij achter *mij* aan.

Stoute Hendrik sliep nauwelijks die nacht. Bij het minste geluid werd hij wakker en piepte van angst. Hendrik had zo'n slechte nacht dat hij pas tegen de ochtend insliep, en draaide zich om en om.

SSSJJJ! PRUTTEL! GORGEL! PANG!

Hendrik werd met een schok wakker. Wat was dat? Hij stak zijn hoofd van onder zijn dekbed en luisterde.

SSSJJJ! PRUTTEL! GORGEL! PANG!

De sissende en pruttelende en gorgelende knalgeluiden kwamen van de buren.

Hendrik liep naar het raam en trok de gordijnen open. Daar zat Margriet Mopperpot met naast zich een grote tas van het Paradijsland. Voor haar lag een... een Walgdrankjeskit. Toen zag ze hem, glimlachte en stak een glas vol borrelend groen sap omhoog.

'Zin in een walgdrankje, Hendrik?' vroeg ze fijntjes.

3

STOUTE HENDRIK OP SCHOOLREIS

'Vergeet mijn propvol lunchpakket niet voor de schoolreis', brulde stoute Hendrik voor de tiende keer. 'Ik wil chips, koekjes, chocolade en een lekker blikje frisdrank.'

'Niks daarvan, Hendrik', zei papa streng, terwijl hij worteltjes in schijfjes sneed. 'Ik maak een gezonde, voedzame lunch voor je.'

'Maar ik wil geen gezonde lunch', huilde Hendrik. 'Ik lust alleen snoep!'

Perfecte Peter keek in zijn lunchtrommel.

'O, wauw, een appel!' zei hij. 'En een eitje met tuinkers en bruinbrood met de korstjes er nog aan! En een wortel en selderijstengels, mijn lievelingskostje! Dank je wel, papa. Hendrik, als je niet gezond eet, zul je nooit groot en sterk worden.'

'Ja, dat zal wel', zei Hendrik. 'Ik zal je eens laten zien hoe groot en sterk ik ben, ventje van niks', voegde hij eraan toe, en deed een uitval naar zijn kleine broertje. Hij was nu een boa constrictor die zijn prooi ging wurgen.

'Ugghhhhh', stikte Peter bijna.

'Hou op met stout zijn, Hendrik!' riep mama. 'Of geen schoolreis voor jou.'

Hendrik liet Peter los. Stoute Hendrik was dol op schoolreizen. Geen huiswerk. Geen lessen. Een enorm lunchpakket. Een gedroomde kans om de hele dag kattenkwaad uit te halen. Wat was er mooier dan dat?

'Wij gaan naar Ruperts IJsfabriek', zei Hendrik. 'Gratis ijsjes voor iedereen. Joepie!'

Perfecte Peter trok een gezicht. 'Ik hou niet van ijs', zei hij. 'Mijn klas gaat naar iets veel beters: het Stedelijk Museum. En mama gaat mee met ons.'

'Ik word nog liever levend gekookt en opgegeten door kannibalen dan dat duffe, saaie museum binnen te stappen', zei stoute Hendrik en huiverde. Mama had hem er ooit mee naar binnen gesleurd. Nooit meer.

Toen zag Hendrik het T-shirt dat Peter aanhad. Het was precies hetzelfde als het zijne: paars gestreept met gouden sterren.

'Zeg tegen Peter dat hij moet ophouden met op school hetzelfde te dragen als ik!' riep Hendrik.

'Het maakt niets uit, Hendrik', zei mama. 'Jullie gaan allebei ergens anders naartoe. Niemand zal het merken.'

'Blijf gewoon uit mijn buurt, Peter', snauwde Hendrik. 'Ik wil niet dat iemand denkt dat we familie zijn.'

De klas van stoute Hendrik gonsde van opwinding terwijl iedereen zich een weg baande om als eerste de bus in te stormen.

‘Ik heb chips!’ riep duizelige David.

‘Ik heb koekjes!’ juichte maffe Benny.

‘En ik heb toffees en chocolade en lolly’s en drie blikjes frisdrank!’ gilde gulzige Glen.

‘Whèèèèè’, huilde Harry Huilebalk. ‘Ik heb mijn lunchpakket vergeten.’

‘Stilte!’ brulde juffrouw Draconia Dragonder toen de bus vertrok. ‘Zit stil en gedraag jullie. En niet eten in de bus. Harry, hou op met huilen.’

‘Ik moet naar het toilet!’ riep luie Lies.

‘Dan zul je nog even moeten wachten’, blafte juffrouw Dragonder.

Stoute Hendrik had zich naar achteren geworsteld en een plaatsje bemachtigd bij het raam, naast woeste Winnie en gulzige Glen. Hier zat hij het liefst, omdat juffrouw Dragonder hem niet kon zien en omdat hij gekke gezichten kon trekken naar de mensen in de auto’s achter de bus.

Hendrik en Winnie duwden het raampje naar beneden en zongen: ‘Toffees van de Rode Hond, smelten in je mond, niet in je k-’

‘HENDRIK!’ bulderde juffrouw Dragonder. ‘Draai jullie om en kijk voor jullie uit, NU!’

'Ik moet plassen!' riep duizelige David.

'Kijk eens wat ik heb, Hendrik', zei gulzige Glen, en liet een tas zien die uitpuilde met snoep.

'Geef hier', zei Hendrik.

'Ik ook', zei woeste Winnie.

De drie jongens propten hun mond vol snoep.

'Bweik! Met citroensmaak', zei Hendrik, en spuugde de kleverige bonbon uit in zijn hand. 'Jihaa!' Hij keilde het snoepje weg.

PETS!

Het snoepje belandde in de nek van Margriet Mopperpot.

'Au!' zei Margriet.

Ze draaide zich om en staarde Hendrik aan.

'Hou op!' schreeuwde ze.

'Ik deed niks', zei Hendrik.

PETS!

Er belandde een snoepje in het haar van Susan Zuurpruim.

PETS!

Er belandde een snoepje op de nieuwe trui van bange Barend.

'Hendrik gooit met snoepjes!' riep Margriet.

Juffrouw Draconia Dragonder draaide zich boos om.

'Hendrik! Kom vooraan naast mij zitten', zei ze.

'Ik moet plassen!' jammerde Harry Huilebalk.

Ten slotte bereikte de bus de oprit van Ruperts IJsfabriek. Bovenop het gebouw stond een reusachtig, heerlijk uitziend ijshoorntje.

'We zijn er!' schreeuwde Hendrik.

'IJs! IJs! Wij eisen ijs!' gilden en joelden de kinderen toen de bus eindelijk stopte bij het hek.

'Waarop wachten we?' gilde gulzige Glen. 'Ik wil mijn ijsje, nu!'

Hendrik stak zijn hoofd uit het raam. Het hek was gesloten. Er hing een groot bord op: 'Gesloten op maandag'.

Juffrouw Dragonder werd bleek. 'Ik geloof mijn ogen niet', stamelde ze.

'Kinderen, blijkbaar is er een misverstand, en zijn we op de verkeerde dag gekomen', zei juffrouw Dragonder. 'Maar geen nood, we gaan naar...'

'Naar het Technologiemuseum!' riep wijsneus Clara.

'De dierentuin!' gilde duizelige David.

'Laser Zap!' schreeuwde stoute Hendrik.

'Nee,' zei juffrouw Dragonder, 'het Stedelijk Museum.'

'Bèèèèèèèèè', kreunde de hele klas.

Maar er was niemand die luider kreunde dan stoute Hendrik.

De kinderen lieten hun jassen en lunchpakketten achter in de overvolle lunchroom, en volgden toen de gids van het museum naar Zaal 1.

'Eerst gaan we kijken naar de verzameling rubberbanden van Jordaan', zei de gids. 'Daarna bekijken we onze beroemde tentoonstelling over deurklinken en hondenpenningen door de eeuwen heen. Maar geen zorgen, jullie hebben tijd genoeg om onze laatste aanwinsten te bekijken: schilderijen over de tuin van Leopold II en babyfoto's van onze burgemeester.'

Stoute Hendrik moest een ontsnappingsplan bedenken.

'Ik moet plassen', zei Hendrik.

'Vlug dan', zei juffrouw Dragonder. 'En kom meteen terug.'

De toiletten waren naast de lunchroom.

Hendrik vond dat hij beter even kon gaan kijken of zijn lunch er nog was. Jep, daar stond zijn rugzak, naast die van Winnie.

Wat zou Winnie hebben meegebracht, dacht Hendrik. Even kijken kon geen kwaad.

WAUW. Winnies lunchtrommel barstte van de chips, snoepjes en een witte boterham met choco.

Straks wordt hij nog misselijk van al dat junkfood, dacht Hendrik. Ik kan hem beter een handje helpen.

Het duurde maar een seconde voor de boterham van Winnie verwisseld was door Hendriks eitje met tuinkers.

Wat een rotzooi, dacht Hendrik en staarde naar de lunch van gulzige Glen. Ik doe hem een plezier door hem mijn selderijstengels te geven in plaats van al die snoepjes.

Dit is echt ongezond, dacht Hendrik, en voelde aan de gebakjes in de lunchtrommel van Susan Zuurpruim. Het was beter dat ze een evenwichtige maaltijd kreeg.

Het pakje rozijnen vloog uit Hendriks lunchtrommel en kwam terecht bij Susan, in de plaats van de kleverige reep die bij Hendrik belandde.

Ts, ts, dacht Hendrik, terwijl hij de chocoladereep van Belinda Blauwkous verving door een appel. Te veel snoep is slecht voor de tanden.

Zo, dat is beter, dacht hij, en keek tevreden naar zijn nieuwe lunch. Toen kuierde hij terug naar zijn klas, die verzameld stond voor een glazen bak.

'En dit is de grond waarin mevrouw Montague haar groenten kweekte waarmee ze een prijs won', dreunde de gids. 'Ze kweekte pompoenen, tomaten, aardappelen, prei...'

'Wanneer eten we?' onderbrak stoute Hendrik hem.

'Ik sterf van de honger', gromde gulzige Glen.

'Ik rammel', zanikte woeste Winnie.

'WIJ HEBBEN HONGER!' jammerden de kinderen.

'Oké, oké', zei juffrouw Dragonder. 'Etenstijd.'

De klas stormde de zaal uit en stortte zich op de

lunchpakketten. Hendrik ging in een hoekje zitten en begon aan zijn feestmaal.

Even was er stilte, toen klonken van overal luide kreten van ontzetting.

'Waar is mijn chocoladereep?' zeurde Susan Zuurpruim.

'Mijn snoepjes zijn weg!' gilde gulzige Glen.

'Wat is dát? Tuinkers met ei? Jakkes!' huilde woeste Winnie, en slingerde zijn boterham naar Harry Huilebalk, die in tranen uitbarstte.

Dat was het startschot. Opeens vlogen de wortels, stukken selderij, graanrepen, rozijnen, appels

en boterhammen met de korstjes er nog aan door de lucht. Hendrik grinnikte terwijl hij de laatste restjes chocolade van zijn mond veegde.

'Hou op! Hou op!' jammerde juffrouw Draconia Dragonder. 'Flink zo, Hendrik, jij bent de enige die zich netjes gedraagt. Als beloning mag je ons naar het Romeinse aardewerk in Zaal 2 brengen.'

Trots stapte stoute Hendrik aan het hoofd van de rij jammerende en voortsjokkende kinderen. Toen zag hij de lift aan het eind van de gang.

Er hing een bordje naast de deur:

VERBODEN TOEGANG
ENKEL PERSONEEL

Ik vraag me af waar die lift naartoe gaat, dacht stoute Hendrik.

'Hou hem tegen!' schreeuwde de zaalwachter.

Maar het was te laat.

Hendrik was al bij de lift en duwde op de bovenste knop.

En hop, naar omhoog, en omhoog ging hij.

Opeens stond Hendrik in een kleine zaal vol half afgewerkte collectiestukken. Er hingen lijsten met boeken die niet op tijd naar de bibliotheek waren gebracht, er stond een kast met 'gloeilampen van 1965 tot heden', en een plank vol rijen en rijen stenen.

Opeens zag Hendrik in de hoek iets echt interessants: achter een loshangend, blauw koord stond het geraamte van een hond.

Hendrik kwam dichterbij.

Gewoon een hoop botten, dacht Hendrik. Niets om bang voor te zijn.

Hij duwde het blauwe koord naar beneden en ging erop staan.

'O, wauw! Ik ben een koorddanser', grinnikte stoute Hendrik luid, terwijl hij heen en weer zwiepte. 'Ik ben de beste koorddanser in...'

AAAAGHHHH!

Stoute Hendrik verloor zijn evenwicht en tuimelde bovenop het geraamte.

KLETTER-KLETTER! De beenderen kletterden tegen de grond.

PINNNG-PINNNG-PINNNG. Het inbraakalarm sprong aan.

Enkele bewakers stormden de zaal binnen.

O jee, dacht stoute Hendrik. Snel glipte hij tussen de benen van een bewaker door en spurtte weg. Achter hem hoorde hij bonzende voetstappen.

Hendrik kwam terecht in een grote zaal vol verkeerstekens, gebruikte bustickets en oranje verkeerskegels.

Aan de andere kant van de zaal zag Hendrik de klas van Peter, samengetroept voor 'De geschiedenis van de riool'. O nee. Daar stond mama.

Hendrik dook weg achter de verkeerskegels.

De bewakers renden de zaal binnen.

'Daar is hij!' schreeuwde er een. 'Die jongen met zijn paarsgestreepte T-shirt met gouden sterren.'

Hendrik versteende ter plekke. Hij zat gevangen. Toen zag hij dat de bewakers hem voorbijliepen. Een lange arm plukte perfecte Peter uit de groep.

'Kom maar eens mee, jij!' snauwde de bewaker. 'We gaan meteen naar de Strafkamer.'

'Maar... maar...', stamelde Peter.

'Geen gemaar!' blafte de bewaker. 'Wie is verantwoordelijk voor dit kind?'

'Ik', antwoordde mama. 'Maar wat heeft dat te betekenen?'

'Kom jij ook maar mee', beval de bewaker.

'Maar... maar...', stamelde mama.

Ondanks het protest werden mama en perfecte Peter weggebracht.

Opeens hoorde Hendrik een bekende stem.

'Margriet, hou op met duwen', zei juffrouw Dragonder. 'Niet slaan, Winnie. Stop met huilen, Harry. Vooruit, iedereen! De bus vertrekt over vijf minuten. Loop rustig naar de uitgang.'

Meteen stormde iedereen naar buiten.

Stoute Hendrik wachtte tot de meeste kinderen hem voorbij waren gelopen en voegde zich toen weer bij de groep.

'Waar heb jij gezeten, Hendrik?' snauwde juffrouw Draconia Dragonder.

'Ik was aan het genieten van dit fantastische museum', zei stoute Hendrik. 'Wanneer komen we terug?'

HET DEFTIGE ETENTJE

SSSJJJ! PRUTTEL! GORGEL! PANG!

Stoute Hendrik zat op de keukenvloer en brouwde een paarsgroen, slijmerig bubbeldrankje met zijn nieuwe Walgdrankjeskit.

BUBBEL! PSSSJJ!

BORREL! SPLASJ!

Naast de beker stond een schaaltje met schimmelnootjes en larvenchips.

Papa kwam de keuken binnengestormd.

'Wil je wat chips, papa?' grinnikte Hendrik.

'Nee!' zei papa, en bond zijn keukenschort om. 'En ik heb je al honderd keer gezegd om met dat walgelijke speelgoed op je kamer te gaan spelen.'

Waarom de oma van Hendrik hem voor Kerstmis zo'n weerzinwekkend stuk speelgoed had gegeven, was hem een groot raadsel.

'Hendrik, ik wil dat je eens goed naar me luistert', zei papa, terwijl hij koortsachtig een rol korstdeeg uitrolde. 'Over een uur komt mama's nieuwe baas met haar man eten. Ik eis een totale samenwerking en een perfect gedrag.'

'Jaja', zei Hendrik, met zijn ogen gericht op de schuimende machine.

De ouders van stoute Hendrik kregen niet vaak gasten te eten. De laatste keer dat ze bezoek hadden gehad, was Hendrik stilletjes naar beneden geslopen, had de chocoladetaart die papa had gebakken voor het dessert helemaal opgegeten en ze daarna over de bank weer uitgebraakt.

De keer daarvoor had hij fopkussentjes op de stoelen van de gasten gelegd, Peter gebeten en de trapleuning gebroken door erop te gaan zitten en naar beneden te glijden.

Papa haalde enkele potten en pannen uit de kast.

'Wat ga je maken?' vroeg perfecte Peter, die zijn stempelset aan het schoonmaken was.

'Zalmpastei met gember en limoen', zei papa en staarde naar zijn lijstje.

'Heerlijk!' zei perfecte Peter. 'Mijn lievelingsgerecht!'

'Bweik!' zei stoute Hendrik. 'Ik wil pizza. En als dessert?'

'Chocolademousse', zei papa.

'Mag ik meehelpen?' vroeg Peter.

'Natuurlijk', zei mama en glimlachte. 'Je kunt rondgaan met de chips en borrelnootjes wanneer meneer en mevrouw Schot aankomen.'

Borrelnootjes? Chips? Hendrik spitste zijn oren.

'Ik help ook mee', zei Hendrik.

Mama keek hem aan. 'We zullen zien', zei ze.

'Hendrik mag niet rondgaan met de nootjes', zei Peter. 'Dan eet hij ze allemaal zelf op.'

'Hou je mond, Peter', riep Hendrik.

'Mama! Hendrik zegt dat ik mijn mond moet houden!' jammerde Peter.

'Hendrik! Hou op met stout zijn', bromde papa, die de gember roosterde en de limoen uitperste.

Terwijl papa de zalm in de pastei stopte, liep mama heen en weer en zette haar mooiste servies op tafel.

'Hé! Je hebt niet genoeg borden neergezet', zei Hendrik. 'De tafel is maar gedekt voor vier.'

'Klopt', zei mama. 'Mevrouw Schot, meneer Schot, papa en ik.'

'En ik dan?' vroeg Hendrik.

'En ik?' zei Peter.

'Dit is een etentje voor volwassenen', zei mama.

'Moet ik... moet ik dan... naar bed?' stotterde Hendrik. 'Mag ik... niet mee-eten met jullie?'

'Nee', zei papa.

'Dat is niet eerlijk!' gilde Hendrik. 'Wat krijg ik dan als avondeten?'

'Een boterham met kaas', zei papa. 'We moeten ons klaarmaken voor de gasten. Ik ben al twee minuten achter op mijn schema.'

'Dit varkensvoer eet ik niet op!' schreeuwde Hendrik, en schoof de boterham van zijn bord. 'Ik wil pizza!'

'Oké, papa', zei Peter en sneed zijn boterham in twee. 'Ik begrijp dat volwassenen soms ook eens alleen willen zijn.'

Hendrik graaide naar Peter. Hij was een kannibaal die zijn slachtoffer wilde knevelen en in de kookpot stoppen.

'AAARGHH!' gilde Peter.

'Genoeg, Hendrik, meteen naar bed!' riep mama.

'Ik wil niet!' krijste Hendrik. 'Ik wil chocolademousse!'

'Ga naar je kamer en blijf daar!' schreeuwde mama.

Ding dong!

'Aaagh!' kreunde papa. 'Ze zijn te vroeg! En de chocolademousse is nog niet af.'

Stoute Hendrik liep stampend de trap op en smeet de deur van zijn slaapkamer dicht.

Hij was zo woedend dat hij geen woord meer kon uitbrengen. Wat oneerlijk allemaal! Waarom moest hij naar bed terwijl mama en papa beneden een feestje mochten bouwen en chocolademousse smullen? De heerlijke geur van gesmolten chocolade zweefde zijn neusgaten binnen.

Als mama en papa dachten dat hij op zijn kamer zou blijven terwijl zij beneden lol trapten, hadden ze zeepsop in hun hersenpan!

KRRIIIEEEK! KRRIIIEEEK!

Perfecte Peter speelde op zijn cello voor mama en papa en de gasten. Dat betekende... stoute Hendrik glimlachte. De kust was veilig. Hallo, borrelnootjes, ik kom eraan, dacht Hendrik.

Hendrik trippelde zachtjes de trap af. De piepende en krassende geluiden uit de woonkamer bleven duren.

Stoute Hendrik glipte de lege keuken binnen. Daar stonden de schaaltjes met nootjes en chips en drankjes klaar voor de gasten.

Cashewnoten, mijn lievelingshapje. Ik neem er maar enkele, dacht hij.

Kronsj. Kronsj. Smak. Smak.

Hmmm, man, wat een heerlijke nootjes! Onweerstaanbaar lekker, dacht Hendrik. Nog een paar nootjes kon geen kwaad. Trouwens, als hij de overblijvende nootjes in een kleiner schaaltje deed, zou niemand het verschil merken.

Kronsj. Kronsj. Smak. Smak.

Nog ééntje, dacht Hendrik, en dan hou ik op.

Stoute Hendrik graaide in het kommetje.

O nee. Er waren er nog maar drie over.

Help, dacht Hendrik. Nu ben ik erbij.

SSSJJJ! PRUTTEL! GORGEL! PANG!

BUBBEL! PSSSJJ! BORREL! SPLASJ!

Stoute Hendrik keek naar het paarsgroene drankje dat hij met zijn Walgdrankjeskit had gemaakt en tikte zichzelf tegen het voorhoofd. Wat dom van me! Was er een beter moment om zijn zelfgemaakte walghapjes uit te proberen?

Hendrik bekeek de larvenchips die hij die dag had gemaakt. Ze zagen eruit als gewone chips, maar smaakten vast helemaal anders. Het enige probleem was: wat moest hij dan doen met de echte chips?

Mjam! Mjam! dacht Hendrik, en schrokte de chips zo snel hij kon naar binnen. Toen vulde hij de schaaltjes met de larvenchips.

Daarna vulde Hendrik twee glazen met het zelfgebrouwen walgdrankje en zette het op het dienblad.

Perfect, dacht Hendrik. Nu nog enkele schimmelnootjes in plaats van deze cashewnoten.

De keukendeur zwaaide open. Papa kwam binnen.

‘Wat doe je hier, Hendrik? Ik had je toch gezegd naar bed te gaan.’

'Mama zei dat ik met de borrelhapjes mocht rondgaan', zei Hendrik, in een schaamteloze leugen. Daarna grabbelde hij de twee schaaltjes en vluchtte weg.

In de woonkamer klonk applaus. Perfecte Peter maakte bescheiden een buiging.

'Is hij niet snoezig?' zei mevrouw Schot.

'En zoveel talent', zei meneer Schot.

'Hoi, meneer en mevrouw Snot', zei Hendrik.

Mama keek geschokt.

'Schot, niet Snot, lieveling', zei mama.

'Maar je noemt hen *zelf* zo, mama', zei Hendrik, en glimlachte fijntjes.

'Hendrik wilde net gaan slapen', zei mama blozend.

'Niet waar,' zei Hendrik, 'ik wilde net rondgaan met de nootjes en de chips. Of ben je het vergeten?'

'Ooo, ik ben dol op nootjes', zei mevrouw Schot.

'Ik had je toch naar je kamer gestuurd', siste mama.

'Màààm,' zeurde Peter. 'Je had me beloofd dat *ik* mocht helpen met de schaaltjes.'

'Jij mag de chips uitdelen, Peter', zei Hendrik vriendelijk, en gaf hem het schaaltje met larvenchips. 'Wilt u een cashewnoot, mevrouw Snot?'

'Schot!' siste mama.

'O, cashewnoten, mijn lievelingsnoten', zei mevrouw Schot. Ze dook met haar vingers in het bijna lege schaaltje en viste er de drie overgebleven cashewnoten uit.

Hendrik pakte er twee af.

'Je mag er maar één tegelijk nemen', zei hij. 'Wees niet zo gulzig.'

'Hendrik!' zei mama. 'Wees niet onbeleefd.'

'Ook een nootje?' zei Hendrik, en zwaaide met het kommetje voor de neus van meneer Schot.

'Welja, waarom niet...', zei meneer Schot. Maar hij was niet snel genoeg. Hendrik had het kommetje al bij mama gebracht.

'Een nootje?' vroeg hij.

Mama stak haar hand uit naar het schaaltje, maar Hendrik trok het snel weg.

'Hendrik!' zei mama.

'Wilt u een beetje chips, mevrouw Schot?' vroeg perfecte Peter. Mevrouw Schot viste een handvol larvenchips uit het schaaltje en propte ze in haar mond.

Haar gezicht kleurde eerst paars, dan roze, dan groen.

'BWEEEEEUUUUUH!' proestte ze en spuwde de chips over meneer Schot.

'Peter, haal snel iets te drinken voor mevrouw Schot!' riep mama.

Peter holde naar de keuken en kwam terug met een paars schuimend, borrelend drankje.

'Dankjewel', hapte mevrouw Schot naar adem. Ze nam het glas aan en dronk het in één teug leeg.

'BWAAAAAH!' proestte ze en spuwde het walg-drankje uit. 'Probeer je me soms te vergiftigen, jij af-

schuwelijk kind?' kokhalsde ze en zwiepte haar armen heen en weer in de lucht, in de richting van papa, die net met een dienblad vol drankjes de woonkamer binnenkwam.

KLETTER! SPLASJ!

Mama, papa, Peter en meneer en mevrouw Schot waren doorweekt.

'Peter, waarom deed je dat?' schreeuwde mama woedend.

Perfecte Peter barstte in tranen uit en vluchtte de kamer uit.

'O, hemeltje, het spijt me', zei mama.

'Geeft niks', zei mevrouw Schot knarsetandend.

'Iedereen zitten', zei Hendrik. 'Tijd voor mijn optreden.'

'Nee', zei mama.

'Nee', zei papa.

'Maar Peter mocht ook optreden', huilde Hendrik. 'IK WIL OOK EEN OPTREDEN!'

'Oké, oké', zei mama. 'Maar hou het kort.'

Hendrik zong en stak zijn armen in de lucht. De gasten staken hun vingers in hun oren.

'Niet zo luid, Hendrik', zei mama.

Hendrik maakte een pirouette en trapte tegen de benen van de gasten.

'Aauw!' zei meneer Schot en wreef over zijn pijnlijke teen.

'Ben je nog niet klaar, Hendrik?' zei papa.

Hendrik begon aan zijn jongleernummertje.

'Au!' riep mevrouw Schot toen ze twee ballen op haar hoofd kreeg.

'En nu laat ik jullie mijn karatekunsten zien', zei Hendrik.

'NEE!' riepen mama en papa.

Maar voor iemand hem kon tegenhouden zwaaide Hendrik met zijn armen en benen in een dolle karatedans.

'JII-HA!' gilde Hendrik, en botste tegen meneer Schot.

Meneer Schot vloog naar het andere eind van de woonkamer.

WOEPS! Daar vloog zijn toupetje hem achterna.

KLETTER KLETTER! Daar viel zijn vals gebit tegen de grond.

'Reginald!' hapte mevrouw Schot naar adem. 'Ben je oké? Zeg iets, alsjeblieft!'

'Oempf', kreunde meneer Schot.

'Te gek, vinden jullie niet?' juichte Hendrik. 'Wie is de volgende?'

'Wat ruikt hier zo vreselijk?' hikte mevrouw Schot.

'O nee!' riep papa. 'De zalm brandt aan!'

Mama en papa renden naar de keuken, gevolgd door meneer en mevrouw Schot.

Uit de oven ontsnapte een sissende, zwarte rookwolk. Mama greep een theedoek en begon op de aangebrande zalm te slaan.

PETS! SPLASJ!

'Kijk uit!' gilde papa.

De theedoek mepte de kom met chocolademousse tegen de grond.

SPLASJ! De hele vloer zat vol chocolademousse. Het hele plafond hing vol chocolademousse. En meneer en mevrouw Schot zaten vol chocolademousse, en ook mama, papa en Hendrik.

'O nee', zei mama, en sloeg haar handen voor haar gezicht. Toen barstte ze in tranen uit. 'Wat moeten we nu beginnen?'

'Laat het maar aan mij over, mama', zei stoute Hendrik en rende naar de telefoon.

'Met de Pizzalijn?' zei hij. 'Ik wil graag een supermaximega peperoni met pikante salami, alsjeblieft.'